Qui est
le plus fort?

ÉCOLE
Jeannine Manuel

43 - 45 Bedford Square
WC1B 3DN London

École Jeannine Manuel UK
Company number 904998

Pour ceux qui ont une plume dans la tête.
M. Cantin

À Lu et Hua Zhiding, son papa.
Bien affectueusement.
S. Pelon

Les mots du texte suivis du signe * sont expliqués
sur le rabat de couverture.

www.editions.flammarion.com

© Flammarion pour le texte et l'illustration, 2007
87, quai Panhard et Levassor – 75647 Paris Cedex 13
Dépôt légal : août 2007 – ISBN : 978-2-0812-0225-2 - N° édition : L.01EJEN000115.C002
Loi n°49-956 du 16 juillet 1949 sur les publications destinées à la jeunesse

Marc Cantin

Sébastien Pelon

Qui est le plus fort?

Castor Poche

Chapitre 1
Le *Wanhinkpé*

Nitou tend son arc. Il vise un gros nuage blanc qui se promène dans le ciel.

– Han ! s'exclame-t-il en décochant sa flèche.

Nitou se dépêche d'en prendre une seconde. Mais, avant qu'il ne parvienne à la tirer, la première flèche retombe et se plante dans le sol.

– Crotte de bison ! peste le jeune Indien. Je n'y arriverai jamais !

– Ha ! Ha ! Tu n'es pas très fort, se moque Nawo en rejoignant son ami à l'écart du village.

Nitou se laisse tomber sur les fesses : le *Wanhinkpé* aura lieu demain, et il n'a aucune chance de remporter cette grande épreuve où s'affrontent chaque année les enfants âgés de six printemps.

– Je te signale que Chogan réussit à tirer cinq flèches avant que la première ne retombe, reprend Nawo.

– Pffff ! soupire Nitou. Tu viens pour me remonter le moral ou pour me décourager ?

– Je dis la vérité. D'ailleurs, si tu ne me crois pas, vérifie par toi-même.

– Je n'ai pas que ça à faire ! se fâche Nitou. Je dois m'entraîner, et j'aimerais que tu ne me déranges pas !

– Ooooh ! Inutile de crier ! proteste Nawo en lui tournant le dos. Si c'est comme ça, je m'en vais !

Nitou regarde son ami s'éloigner. Il regrette très vite de s'être énervé.

– Nawo a raison, murmure-t-il tristement. Je ne remporterai jamais le *Wanhinkpé*, et toute la tribu se moquera de moi.

En traînant les pieds, il se rapproche discrètement du campement. À côté des tentes, les enfants P'titipis forment un demi-cercle autour de Chogan. Il a le même âge que Nitou, mais il est déjà fort comme un ours !

Chogan se pavane* devant ses admirateurs avant de saisir son arc d'une main ferme. Il le tend et vise un gros nuage blanc qui se promène dans le ciel.

Il tire une flèche, deux flèches, trois flèches, quatre flèches... et cinq avant que la première ne retombe !

Le cœur de Nitou se resserre comme si un bison s'était assis dessus, quand en plus il aperçoit son amie Fati parmi les spectateurs… Elle pouffe* joyeusement pendant que Chogan lève les bras en signe de victoire !

Du revers de la main, Nitou essuie une larme au coin de son œil.

Nitou voudrait bien remporter le *Wanhinkpé* ; mais Chogan semble meilleur que lui !

Chapitre 2

Un fils de chef

– **M**on fils ! s'exclame Grande-plume-d'aigle-fier-qui-vole-dans-le-ciel-bleu. Je te cherchais partout !

Nitou rejoint son père en traînant des mocassins.

– Alors, tu t'es entraîné pour le *Wanhinkpé* ? lui demande le chef des P'titipis avec un large sourire.

– Oui… mais…

– N'oublie pas que l'honneur de notre famille est en jeu.

– Je sais, soupire Nitou.

– Je suis sûr que personne ne fera mieux que toi, se réjouit le chef de la tribu en frottant la tête de son fils. Vivement demain !

Et il s'en va en chantonnant joyeusement.

Nitou reste seul, les épaules basses. Son père ne pense qu'au *Wanhinkpé*. Lui-même l'a remporté lorsqu'il avait six printemps. Et si Nitou ne parvient pas à en faire autant, personne n'acceptera qu'il devienne le chef plus tard. C'est la loi des Indiens.

Désespéré, Nitou jette son arc et son carquois. Puis il court s'enfermer dans son tipi. Il disparaît sous une grande peau de bison afin qu'on le laisse tranquille. Il ne veut plus voir personne !

Il reste un long moment dans le noir, quand soudain :

– Nitou ? Tu es là ?

Le jeune Indien sursaute. C'est la voix de Fati !

Nitou est désespéré : son père est persuadé de sa victoire, qui fera de lui le chef.

Chapitre 3

Un soutien inattendu

Fati repousse la toile qui ferme l'entrée du tipi et repère Nitou, toujours caché sous la peau de bison.

– Il est encore tôt pour dormir ! plaisante-t-elle.

– Je dois me reposer pour être en forme demain, prétend Nitou.

Fati s'assoit à côté de lui. Elle le chatouille à travers l'épaisse couverture.

– Hi… Hi-hi… Arrête ! Hi-hi ! Je n'ai pas envie de rire !

– Tu ressembles à un vieux bison grincheux ! lui fait-elle remarquer. Aurais-tu quelques soucis avec ton arc ? J'ai vu qu'il traînait devant le tipi.

– Ça ne te regarde pas. Retourne plutôt admirer Chogan !

– Moi ? Admirer ce gros prétentieux ! s'offusque Fati.

– Je t'ai aperçue tout à l'heure, affirme Nitou en sortant la tête de sa cachette. Tu étais à côté de lui et tu riais !

– J'accompagnais mes amies, explique Fati. Et si je riais, c'est parce que je trouvais Chogan ridicule.

– C'est vrai ?

– Bien sûr. Et maintenant, tu peux me dire ce que tu fais ici ?

Rassuré, Nitou se confie alors à Fati :
– Mon père est convaincu que je remporterai le *Wanhinkpé*. Mais comme je vais finir bon dernier, il me détestera !
– Tu es bête ! Ton père t'aimera toujours ! le rassure Fati.
– Tu crois vraiment ?
– Bien sûr ! Mais tu abandonnes un peu vite. Moi, je suis certaine que tu peux trouver une solution pour réussir cette épreuve.

Et, pour l'encourager, Fati dépose un gros bisou sur la joue de son ami. Smack !

– Wahouuuuu ! s'écrie Nitou. Je pars tout de suite sur le sentier de la guerre !

– Ha ! Ha ! En avant, fier guerrier ! s'amuse Fati.

Fati est allée réconforter Nitou : Chogan n'est qu'un prétentieux ! Et il n'est pas si fort que ça.

Chapitre 4

Une visite au chaman

Nitou récupère son arc et son carquois. D'un pas décidé, il se dirige vers le tipi du chaman. Le sorcier saura sûrement l'aider.

– Chaman ! Grand chaman !

– Entre Nitou. C'est un plaisir pour moi de recevoir ta visite.

– Chaman, j'ai un gros problème.

– Tu as mal à la tête ? Au ventre ? Bon, rassure-toi, je connais toutes les plantes qui guérissent.

– En vérité, avoue Nitou, ma maladie est particulière.

– Hum… Je vois, marmonne le chaman.

Le chaman s'assoit près du petit feu, qui brûle au centre de son tipi. Il y jette quelques feuilles et un épais nuage bleuté enveloppe les deux Indiens.
– Je t'écoute, chuchote le sorcier.

Nitou explique combien il aimerait remporter le *Wanhinkpé* et combien son père compte sur sa victoire.

– Et qu'attends-tu de moi ?

– Ben… si tu avais une poudre pour faire tenir mes flèches plus longtemps dans le ciel, ou une potion qui augmente ma force…

– Nitou ! s'indigne le chaman. Tu voudrais tricher !

Le jeune Indien baisse la tête.

– Tu as raison, admet-il. Ce ne serait pas honnête.

– Je vais essayer d'oublier tes paroles, promet le sorcier. Mais crois-moi : la force ne vient pas seulement des muscles. Tu as aussi le droit d'utiliser ton esprit pour remporter l'épreuve.

Il lance de nouvelles feuilles sur le feu et le brouillard disparaît aussitôt.

– Maintenant, dit le chaman, si tu veux planter tes flèches dans les nuages, demande conseil à la montagne. Le ciel est son voisin, elle pourra peut-être t'aider.

Nitou quitte le tipi, un peu étourdi par ces paroles.

Nitou a rendu visite au chaman, qui lui conseille de demander de l'aide à la montagne.

Chapitre 5

Des flèches magiques

Son arc toujours à la main, Nitou s'éloigne du village et gravit la montagne. Il monte, monte, monte aussi haut que possible. Les pierres roulent sous ses pieds, il trébuche parfois…

Mais Nitou ne renonce pas. Hélas, le sommet se termine par un long pic tout lisse, aussi lisse qu'un bec, et impossible à escalader. Nitou doit stopper là son ascension.

Épuisé, il s'adresse à la montagne :
– Montagne, toi qui connais tous les secrets du ciel, peux-tu me dirc comment envoyer mes flèches jusqu'aux nuages ?

Mais la montagne ne répond pas.

– Montagne ! Montagne ! Ne sois pas aussi dure que tes pierres !

Rien à faire. La montagne demeure silencieuse.

– Très bien, reprend Nitou. Je vais m'entraîner, et si tu veux m'aider, surtout, ne te gêne pas.

Nitou sort une flèche de son carquois et tend son arc. Il vise un gros nuage blanc qui se promène dans le ciel ; mais, ébloui par le soleil, il doit fermer les yeux. Il tire quand même et se dépêche d'attraper une seconde flèche. Il tire une nouvelle fois, puis une troisième, puis une quatrième. Il s'arrête à la sixième flèche.

– Incroyable ! s'écrie-t-il. La première n'est toujours pas retombée !

– Évidemment ! gronde une voix au-dessus de lui.

Nitou lève les yeux : Paco, l'aigle à tête blanche, le regarde sévèrement. Les six flèches sont plantées dans son nid épais installé au sommet de la montagne !

– Oh ! Excusez-moi ! s'exclame Nitou.
Je n'avais pas vu votre nid !

L'aigle récupère les flèches entre ses
serres*, et se pose à côté de l'Indien.

– Tu t'entraînes à chasser les nuages ?
demande-t-il avec un petit sourire au
coin du bec.

– J'espérais simplement que mes flèches resteraient accrochées au ciel, répond Nitou.

– Les hommes sont des êtres étranges… juge Paco.

– C'est une épreuve, reprend Nitou. Une sorte de jeu.

– Vraiment ? C'est intéressant… Je ne reçois pas beaucoup de visite et je serais heureux que tu m'expliques en quoi il consiste.

– Avec plaisir, dit Nitou. Alors voilà : notre jeu s'appelle le *Wanhinkpé*…

Et l'aigle à tête blanche écoute patiemment le petit Indien lui raconter les coutumes des hommes.

L'aigle à tête blanche semble très intéressé par les règles
du *Wanhinkpé*...

Chapitre 6

Le vainqueur

Le soleil se lève au-dessus des tipis. Le
grand jour du *Wanhinkpé* est arrivé.
Les Indiens font résonner les tambours,
et leurs chants s'élèvent vers le ciel. Le
premier tireur se met en place.

Nawo tire une flèche, deux, trois…
et la première se plante dans le sol. Les
tambours retentissent.

Les autres enfants du même âge ne
font pas mieux. Trois flèches pour Wiki.
Trois aussi pour Anoki. Deux seulement
pour Wapi.

Devant la tribu au complet, Chogan
s'avance. Il marche fièrement et affi-
che déjà un sourire victorieux.

– Quel prétentieux, marmonne Fati.

– Et voici Chogan, annonce le chef des
P'titipis.

Le jeune Indien regarde les autres
concurrents avec mépris, avant de sor-
tir la première flèche de son carquois.

Il tend son arc et vise un gros nuage blanc qui se promène dans le ciel. Il tire ! Avec la vitesse du cobra, il attrape une seconde flèche, il tire ; une troisième, il tire ; une quatrième… Quand la première flèche retombe, Chogan a eu le temps d'en envoyer six dans le ciel !

Les tambours se déchaînent.

– Six flèches, bredouille Grande-plume-d'aigle-fier-qui-vole-dans-le ciel-bleu.

Même certains de ses plus habiles guerriers ne parviendraient pas à faire mieux.

– Et… et maintenant, voici Nitou, reprend le chef d'une voix chevrotante.

– Vas-y Nitou ! l'encourage Fati.

Nitou croise le regard de son père. Ce dernier, résigné* à l'idée de la défaite de son fils, lui sourit tout de même.

Alors, Nitou sort sa première flèche. Il tend son arc et vise un gros nuage blanc qui se promène dans le ciel… et il tire. La flèche monte, monte, monte, la pointe dressée. Mais elle s'arrête bientôt, figée un instant dans les airs avant de repiquer vers le sol… quand deux serres l'attrapent au vol !

Nitou tire une seconde flèche, une troisième, une quatrième… Il en tire sept au total et, à chaque fois, Paco, l'aigle à tête blanche, s'en empare.
– Héééé ! C'est de la triche ! proteste Chogan.

L'aigle majestueux relâche les sept flèches qui se plantent dans la terre. Puis il se pose au sommet du totem.

– Je n'ai pas triché, corrige Nitou. J'ai moins de force que Chogan, aussi, j'ai trouvé un allié qui m'a permis de le battre.

– L'amitié est plus puissante que la force ajoute Paco, visiblement ravi.

Le chef des P'titipis se gratte la tête. Tout le monde attend sa décision. Alors, il rajuste sa coiffe et déclare :

– L'aigle a raison. Seul, on est vulnérable*, même si l'on est très fort. Mon fils a su utiliser la ruse et l'alliance pour vaincre son adversaire. Je le déclare vainqueur du *Wanhinkpé* !

– Il a gagné ! Hourra ! s'écrient Fati et Nawo en sautant de joie.

Un tonnerre de tambours fait trembler les tipis. Nitou est porté en triomphe par les Indiens. Vert de rage, Chogan le Peau-Rouge brise son arc et piétine son carquois.

– Je me vengerai ! jure-t-il.

Autour du grand totem, sous le regard bienveillant de l'aigle, la fête commence au rythme des chants et des danses.

❶ L'auteur

Marc Cantin :

« La force, c'est important. Pour déménager des cartons très lourds, déplacer une machine à laver, pousser une voiture en panne, ouvrir un nouveau pot de confiture, porter un cartable plein de cahiers et de livres... Oui, être costaud, c'est utile. Voilà pourquoi j'ai toujours regretté de ne pas être plus musclé, de ne pas avoir des biscoteaux costauds au lieu de muscles aussi résistants que des biscottes !

Heureusement, la force ne fait pas tout. Et avec le temps, on s'aperçoit que le plus important, ce n'est pas les biceps mais le cerveau ! On peut le faire travailler, celui-là ! Jour et nuit. Grâce à lui, on peut tout imaginer, tout inventer et, surtout, on peut rêver... rêver qu'on est super méga hyper costaud ! »

❷ L'illustrateur

Sébastien Pelon :

« Chogan qui brise son arc, ça me rappelle mes cours de tennis : mon meilleur ami, vert de rage, avait cassé sa raquette après avoir perdu un match. Je ne l'avais jamais vu comme ça, moi qui croyais bien le connaître...

C'est étonnant ce qu'on peut faire quand on est en colère !

Cela dit, la victoire c'est pas forcément mieux, parce que quelques jours plus tard il a gagné son match, et je pense qu'il s'en vante encore...

Je ne dois pas avoir l'esprit de compétition, et je ne dis pas ça parce que mon physique est plus proche de la crevette que du bison. Ça m'est arrivé de perdre, et comme tout le monde, je n'aime pas beaucoup ça (ma raquette est un peu cabossée aussi), mais ce n'est pas si grave, et puis « ça forge le caractère », comme dit mon père.

C'est bien de vouloir faire les choses du mieux qu'on peut, mais je trouve étrange de toujours vouloir être le premier. Ce qui compte, selon moi, c'est de donner le meilleur de soi, et de toujours avoir du plaisir dans ce que l'on fait. »

Table des matières

Achevé d'imprimer en février 2011.
chez Pollina (France) - L55276.